VOL. 6
악마에 입문했습니다! 이루마 군
OSAMU NISHI

& STORY 캐릭터 소개 & 줄거리

스즈키 이루마

지나치게 착해빠진 상냥한 소년. 부탁을 받으면 거절을 못 한다. 위기 회피 능력이 뛰어나다. 인간이라는 사실을 들키지 않고, 악마 학교를 평온하게 다니고 싶다.

아스모데우스 아리스

파괴와 미덕을 관장하는 가계의 악마. 입시 수석인 우등생. 입학식에서 이루마 때문에 체면을 구기고 발끈하지만, 결투로 완패한 후 이루마에게 충성을 맹세한다.

《특기 마술=화염계 주문》

발락 클라라

밝고 활기찬 여자 악마. 항상 야단법석에 조용할 때가 없어서, 주위로부터 괴짜 혹은 희귀 짐승 취급을 당한다. 이루마의 상냥함을 접하고 감동해서, 좋은 친구 중 한 명이 된다.

《가계 마술=한번 본 물건은 뭐든 주머니에서 꺼낼 수 있어!》

CHARACTERS

설리번

이루마를 손자로 삼아서 아껴주는, 바비루스의 이사장. 이루마에게 끝없는 사랑을 쏟고 있으며, 악마로서의 실력 또한 마찬가지로 미지수다.

크로켈 케로리

학교에서는 얌전한 소녀지만, 실은 마계의 인기 악마돌 크롬!! 라이브가 위기에 처했을 때, 이루마가 여장을 하고 도와줬다.

아자젤 아메리

고결하고 아름다운 바비루스 학생회장. 이루마가 인간이라는 사실을 눈치채지만, 인간계의 순정 만화「첫사랑 메모리」를 그가 낭독해주게 되면서 친분을 쌓는다.

지금까지의 이야기

지나칠 정도로 착해빠진 스즈키 이루마는 인간 말종인 부모님에 의해 악마에게 팔려버린다. 하지만 마계로 이루마를 데려간 악마, 설리번의 바람은「손자가 되어달라」는 것이었다. 바비루스에 다니게 된 이루마는 허둥대면서도 즐겁게 학교생활을 하지만, 선배 악마 키리요의 학교 폭파 테러 계획에 휘말리고 만다. 이루마는 이 테러 행위를 미연에 저지하면서, 바트라의 제전「바트라 파티」에서「마구 연구 바트라」를 어필하는 데 성공한다. 마계에서의 랭크는「3」으로 승급된다. 축하의 의미로 마계의 인기 악마돌, 크롬의 라이브 티켓을 받은 이루마는 크롬이 동급생인 케로리라는 사실을 알게 된다. 이루마에게 정체를 들킨 바람에 컨디션이 무너진 케로리. 그녀가 회복할 시간을 벌기 위해, 여장을 하고 무대에 선 이루마는 상상을 초월하는 대성공을 거두고――. 인간이라는 사실을 들키면 안 되는데, 점점 악마들에게 주목받게 된 이루마였다…!!

CONTENTS

제44화 마술을 쓰는 법

내 이름은 스즈키 이루마(14).
어느 날, 바보 같은 부모님이 저를 팔아버렸습니다.
매
하지만 저를 거둔 설리번 씨는 저를 손자로 삼아 사랑해줬고
학교에도 다니게 해줬습니다.
하지만 문제가 하나 있는데
웅성
웅성
웅성

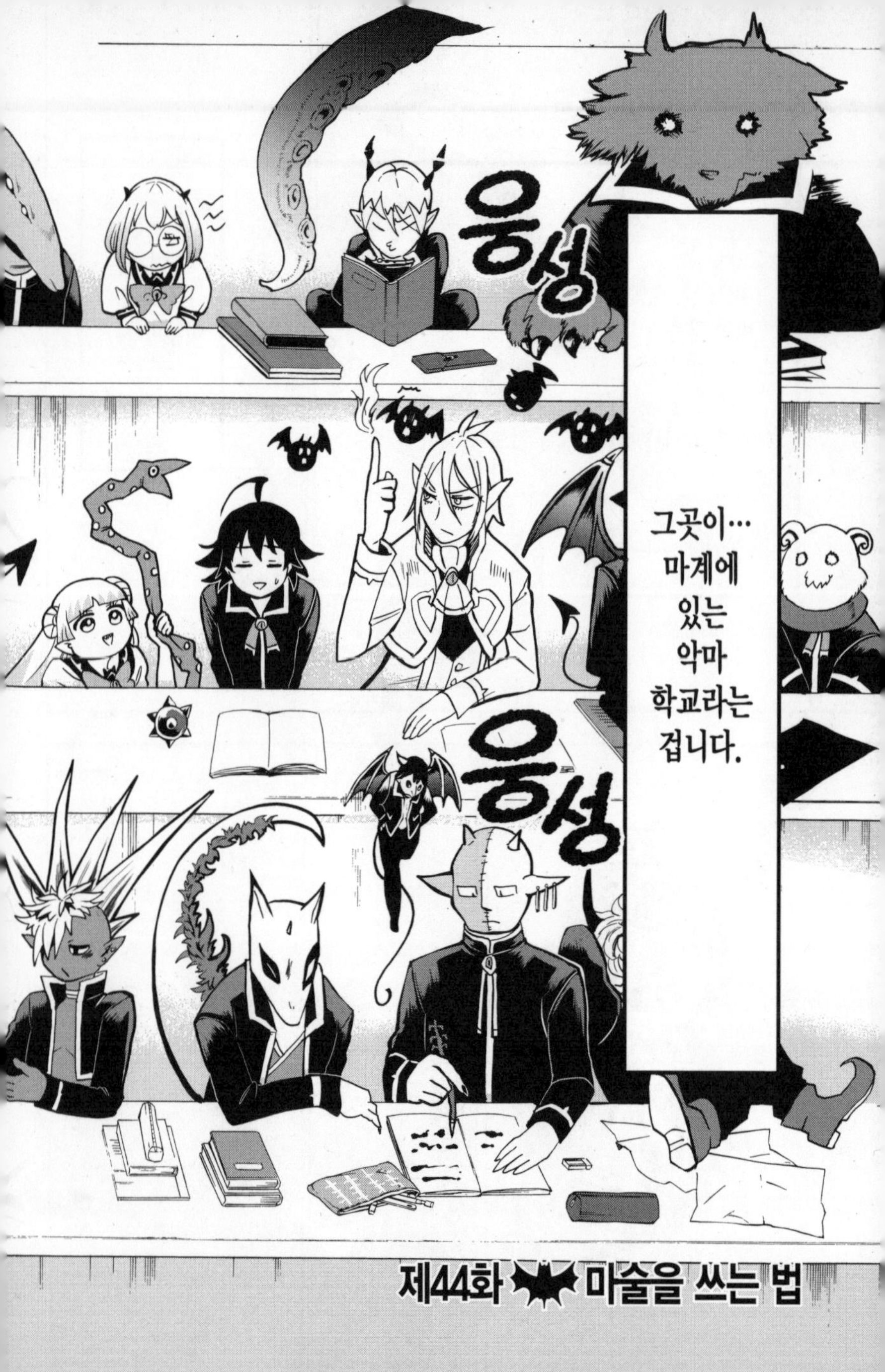
웅성
그곳이…
마계에
있는
악마
학교라는
겁니다.
웅성

제44화 마술을 쓰는 법

웅성
웅성
변화
그럼 오늘은 『변화 마술』을 배우겠습니다.
마술 기초학 모라크스 모모노키
웅성
웅성
이 병 안의 개구리를 향해 주문을 영창해 주세요.
네—
그럼….

이루마 군! 해보렴.
아
네!!
움찔
주문은 「체르실」 이야.
찰칵
으음….
데빌
「소악마 모드」로
『체르실』.
파앗

스르륵…
펑
오오~
자아! 색이 변했군요.
아름다운 검은색이군요! 참 잘했어요. 이런 변화 마술은—….
역시~
대단하십니다, 이루마 님!
고마워….
짝
짝

설리번
이사장님의
마력이 들어있는
반지 덕분에
수업은
어찌어찌
되고 있어요….
강-
공-
하아-
끝났다
끝났어
우글
우글
반지로
마술을 쓰는 데도
익숙해졌네….
점심—♪
오늘은
A런치로
할까요.
응.
식당까지
경주!!
대-시-!
얏
어이!
가방을
들고 가지
마라!!
잠깐
기다…

려….
부
와
앙
부
오오오
우왓.

앗──!
어, 어어어어,
어째서?!
붕!
붕!
붕!
아니, 앗.
빨리
재워야….
어쩌면
좋지?!
전에
다른 애들의
마력을
빨아먹었던
녀석이야!!
덥석
마력은
이사장님이
얼마 전에
넣어줬는데….
아무튼
이사장님이
있는
곳으로….
아니
딱히 배는
안 고파.
아니,
하지만.

마
말했어…?!
어?
ooo ooo !
어?
어?
어.
??? ……. ??? ??? ? ??
앗,
진짜다!
말했어!!!
이제
와서?!!
엄

어버버버버버버
어어, 목소리가 나와! 왜지?! 어엇.
밖은 되게 넓네!
지, 진정해….
뭐야?
저 꺼먼 건… 뭐지…?
웅성웅성
휘익!
어머
제3준비실
— 그럼….

이 몸은 악식의 반지…의 화신인가.
왜 말할 수 있게 된 건진 **몰라!!**
이 몸도 뭐가 뭔지….
아니…. 분명
이 몸의 외침이! 마음이 형태를 이룬 거야!
마음?
그래, 주인!!
도
옥
이 몸은 너한테 할 말이 잔뜩 있어.

주인은! 마력을 제대로 쓸 줄 몰라!
정확하게는 어설퍼!
한꺼번에 먹어 치운 마력을 느닷없이 전부 토해내게 해?! 좀 상냥하게 써달라고!
그렇게 난폭하게 쓰면 앞으론 마력을 못 쓰게 해줄 거야~.
흐음…
뭐어?!
어쩌면 좋지….

애초에 마술이란
「이미지를 실현시키는」 힘을 말해.
꼬물
근원은 「욕망」이지.
꼬물
아까 변화술도 「검게 만들고 싶다」라는 욕망이 실현된 거야.
으으으
마술의 기본은 「이미지」 거든.
머리속으로 완성형을 떠올리며
크왕 크왕!
그러고 보니.
좋아! 그럼, 이 몸에게 변화를 걸어봐!
어디 해보라고~!!

큼지막한 눈에
잘록한 허리,
다리도 길쭉한!
멋진 이 몸!
이미지
해봐
ㄱㄱ
아,
네.
눈 큼지막…
허리 잘록…
다리 길쭉~….
부와앗…
체…
체르―실!!
펑
엉

어
어!
그렇게
곧이
곧대로!!!
심플 이즈
베스트냐,
이 멍청아!
잘못
했어요!!
하하하
아~. 음.
눈이 크고
허리도
잘록하고,
다리는
기네….
훽
어
그
그럼
옷을….
좋아!
그럼
이번에는
자기 자신한테
걸어 봐!!
너도
이상해
지라고!

펑
엉
흰색!
그럼
다음은
옷의 형태!
본 적 있는
옷으로
체인지해!
음!
으음
무난한걸
….
평!
오
괜찮네!
수수하지만
펴어엉!
하하하
안
어울려ー.

좋았어~! 그럼 다음은 「자기가 절대 안 입을 옷」을 상상해봐!!
척
절대 안 입을 ….
으음…. 비싼 옷…은
으음–
으음–
할아버지가 가끔 입어달라며 주니까.
자아! 빨리 해보라고!
절대 안 입을 옷, 절대 안 입을 옷, 절대….
으–음
으–음
체르 …실.
얏
파
절대.
앗.
번
쩍

어질~…
분명 착각한 거야.
어질…
일전에 아버님이 주신 티켓….
우리 부서가 경비를 맡게 된 콘서트다. 젊은이에게 인기가 있다더구나.
그리고 보러 간 악마돌의 라이브….
거기서.
와
아

보, 본인?
아니,
하지만
이루마는
남자니까,
그렇게
하늘하늘
살랑거리는
옷을….
엄청
이루마를
닮았어!
변태
같잖아.
끌쩍…
이루마는
의외로
줏대 있는
남자야.
그런 옷차림을
할 리가 없어.
말도
안 돼!
절레
절레
우연히
닮은 이를
본 거겠지.
벌컥
준비실
누구냐!
빈방을
무단으로
이용하지
마라!
덜컹!

퍼
어
엉…
대애~앵
하늘하늘
살랑거리는
옷 입은
변태──!!

제45화 반지의 비밀

후시식.

지난 편의 줄거리
대—앵…
마술 연습 (드레스 업)을 아메리가 목격했다.
무 무 무 무 무 무 무 무
무, 무무, 무무무,
무슨 그런 옷차림을 …!

아뇨, 아메리 씨! 이건…!!
다 움찔
다가오지 마라!!
제 말 좀 들어 봐요!!
이건 마술 연습을 하느라….
마술…?
파─앗
네! 이 반지 씨와 이야기를 나누며 함께 연습을…!

버러-억
반지가 말할 리가 없잖아!!
네놈은 여장만 하는 게 아니라 망상병까지 있는 거냐!!!
네엣?!
휘익
실례!
어라, 악식 씨. 어디에….
자, 잠깐만….
덜컹
아아~

추ー욱…
분명 변태로
오해 받았을 거야….
아무리 찾아봐도 아메리 씨가 없네….
비틀
으윽
비틀
어떻게 오해를 풀지….
확 취미예요♡ 하고 말해버리지 그래~?
톡♡

악식 씨?! 어디 갔던 거예요?!
반지 안에서 구경했지.
진짜 웃겼어
나와서 설명해 달라고요….
그건 안 돼.
반짝
이 몸은 미지의 물체 같은 거잖아?
반짝
남한테 들켜서 실험이라도 당할까 무섭거든.
주인도 주목받기 싫은 심정을 알 거 아냐.
꺄아!
그건 그렇지만….

하지만 이대로 있으면 아메리 씨는 계속 오해할 거야….
변태
대-앵
뭐, 뭐어
뭐, 이 몸 같은 전례가 있다면 모습을 보여줄 수도 있어!
!
정말요?!
휙
쑥
물론-
남 앞에 나와도 안전하다는 게 확실해지면, 멋지게 등장해줄게.
여배우 뺨치게
뭐, 이 몸의 미스터리어스함을 버리는 건 아깝지만….
고옥
힘내죠, 악식 씨!!
쑥
엄

악식 씨의 비밀을 밝혀서
아메리 씨의 오해를 푼다!!
콰아-앙
그런데 주인, 괜찮은 아이디어는 있어?
네!
의욕 넘치네.
스윽…
꾹
그분이라면 이 반지에 대해서도 잘 알 거예요!!

아니, 반지가 말할 리가 없잖니….
어——
악식의 반지는 마력을 담아두는 마구인걸….
자아 같은 게 있을 리가 없어.
하지만 진짜로 말을 하는데….
아, 모습은 보여드릴 수가 없지만요.
음음
지쳤나 보구나.
따뜻한 우유라도 마실래?

아니, 저기….
툭
스
우윽…
진심으로 나를 걱정해줬어…….
햐 햐 햐 햐
바비루스 도서관

악식의 반지.
악식의 반지…는
안보이게 가드
마력을 보관하고 출력하는 마구.
보유 가능한 마력량은 다소 차이가 있으며…
악식의
을 보관해
마력이 고갈되면 주위의 마력을 빨아들이는 아지랑이가 발생한다…고만 되어 있네요.
터치
그런 민폐 같은 사건도 일어났던 것 같네~.

뭐, 이 몸은 배고팠어~ 정도로만 기억하고 있지만….
어.
날뛰었던 건 기억에 없나요?
없어~.
전혀
벚나무를 만든 건요?
몰라!
처음으로 리 베라를 했을 때는…….
몰라! 아직 지혜가 없던 평범한 반지였던 것 같거든.
그럼, 기억에 있는 가장 오래된 일은…….
아, 그거야!
잡아당기기 사건!!
잡아 당기기?

변태 안경의 멱살을 잡아서 위험한 녀석인 걸 알려줬잖아.
덥석~
쑤욱—
덥석!
어엇
그거, 그런 의미였어요?!
찌릿…
아…. 죄송해요.
뭐
변화가 일어난 정확한 시기는 모르겠지만 말이지.
이 몸이 기억하는 건 이 정도야.
으음 ….

악식 씨의 기억이 이렇게 불확실해서는 정보를 얻을 수 없겠네…….
즉….
망했다.
어라
어쩌면 좋지….
하아~
불꽃~
기억함
잡아 당기기 사건
불꽃
리베라
기억 못함
벚꽃

끄적
끄적
번쩍
자각함
잡아챔
여어!
말함
랭크 2
불꽃
랭크 3
각각의 기간이
딱 맞아들어가….

주인, 왜 그래?!
정리해 보려고요.
저와 악식 씨의 이제까지의 일을요…. 그러면
← 자각 못함
리베라
벚나무
랭크 1
피구
반지 받음
즉,
이 몸이 말을 할 수 있게 된 건….

내 랭크가
올라서……?
오오~~.

확실히 그거라면 가능성이 있겠는걸.
이 몸과 주인은 일심동체 잖아.
진짜로 그런 거라면 확인할 수도 있고요!
오?
랭크가 올라서 변화한 거라면…
제 랭크가 「4」(다레스)가 된다면 악식 씨도 성장할 거잖아요!

수수께끼도 풀릴 테고… 왠지 기대되네요.
흐음.
주인은 괜찮은 거야? 주목받게 될 텐데?
앗!
이제 깨달은 거냐.
정말 착해 빠졌네.
터억
…그래도
기대 해보겠어, 주인.
그 「주인」이란 호칭은… 좀 그런데….
그럼 「이루 도령」이라 부를까.
이 몸은

아리크레드….
아리크
…?
응?
아아.
아리
씨라고
불러줘!
그리고
존댓말은
금지
이리하여
주위가
조금 더
시끌벅적
해졌고….
아리 씨는
원래 모습으로
안 돌아가도 돼?
됐어
마음에
들었거든

아리 씨의 비밀을 풀 실마리를 찾아서
정말 다행이야!
굿 나잇~
잠들었다
째깍 째깍 째깍 째깍
벌떡
아메리 씨의 일은 전혀 해결 안 됐잖아!!
제자리

악마에 입문했습니다! 이루마 군

OSAMU NISHI

제46화 아메리의 결단
아메리 씨! 제 야망을 정했어요!
뭐?!
정말 이냐?!
네!
아메리 씨 덕분 이에요!!
그래….
좋아!
네 야망을 들려다오!
네!
제 야망은… 바로──….

짜안
여자 옷을 입고 무대 위에서 귀엽게 노래하는 거예요!
제46화 아메리의 결단

버럭
왜 그렇게 된 거냐??!
갸-스 갸-스…
…….
사흘 연속으로 같은 꿈을….

아메리,
괜찮나?
안색이
안 좋구나.
중계
괘
괜찮습니다,
아버님….
잠이 좀
부족해서요.
설마….
원인은
이루마
니?
푸웁
그런
거냐
…….
아, 아뇨,
아뇨!
그게 아니라…
저기….
고오오오오
휙
휙

미리 말해두겠는데, 교제는 절대 허락 못 한다…!
휙
고오오오오오
다, 다녀오겠습니다!!
학생회실
ㅡ입니다.
…?
ㅡ장님?
회장님?
회장님?!
헉
미, 미안하다! 생각을 좀 하느라….
네.
신경 쓰지 마라. 그것보다, 무슨 일이지?

아
학생회 신입 스카우트 건….
버럭
누가 스카트란 거냐!!
어어
죄송합니다?!!
수
순찰을 돌고 오겠다….
회장님 스커트 차림이시지?
?
?
안 돼, 안 돼, 안 돼.
최근 며칠 동안 일에 전혀 집중하지 못했어!!

꺄 아♥
이루마의 독특한 취, 취미에 대해
생각 하느라….
고오오오
아버님까지 괜한 착각을….
교제 라니,
애초에 이루마는 나의——….
우뚝…
이루마는 나의——…
뭐지?

후배?
는 아닌 것 같은데 …….
나한테 『첫사랑 메모리』를 읽어주는
인간(?) 이자….
맞아…. 원래 나는 이루마가 인간인지 확인하려는 과정에서…
그 녀석을 알게 됐어.
그래…. 이루마는
툭하면
내 예상을 벗어나는

좋은 녀석이야.
빙글
역시 한번 더 이야기를…
어브노멀 클래스 교실 뒤편
으음…

쑤욱
입어 주세요.
왜, 왜 또 입어야 하는데요?!
히이이익
저도 싫거든요?!
저
하지만 「그 정체불명의 3인조 악마돌은 누구인가」라는 문의가 엄청 들어온다고요!
사진이라도 한 장 제공해야 상황이 진정될 거란 말이에요!
슬금
슬금…
하지만 ….
우당탕쿵탕
정말!
풀 쪼가리라도 세다 보면 금방 끝나요!!
그런 문제가 아닌데 …….
잠깐 야

비틀
우왓.
털
썩!
으…
잡아당기면
위험….
아야야…

봤어?!!
휙
부들 부들
이,
이루마.
네,
네놈은
정말….
입는 걸로도
모자라
여학생을
덮치려
하다니….
아니
아메리 씨,
이건….
퍼럭
따라와라!!
아아아아아

학생회실
두
둥
......
......?
분명 여장 건으로 혼날….
척
이루마.
네!
큰일 났다….
바트라 건으로 할 이야기가 있다.
삐질
삐질

어
바트라?
『마구 연구 바트라』 말인데….
지금은 활동을 하고 있느냐?
유일한 3학년은 자율 휴학으로 처리됐다만….
바트라 조약서
활동 기록
슥…
바트라의 활동은 3학년 1명 이상 혹은 랭크 4 이상의 단원 세 명 이상이 필수다.
마구연은 조건을 충족시키지 못하지.
그러니 …….

정식으로 활동을 정지 시키겠다.
!!
자, 잠깐만요….
뭐
내 말을 끝까지 들어라.
「정지」니까 다시 재개하면 돼.
단, 그러기 위해선 『연수』를 받아서 학생회의 인가를 얻을 필요가 있다.
연
연수?
활동 신청
다른 바트라에서 몇 주 동안 활동하며 그곳의 단장에게 추천서를 받는 거다.

아스모데우스는 그 전체적으로 뛰어난 능력을 지닌 점을 고려해 마술 개발 바트라로,
이루마 님과 다른 바트라는 싫어!! 돌아갈래!
에이-
에이- 에이-
발락은 풍부한 발상력을 살릴 수 있도록 게임 바트라로 보냈다.
오-
대박
대박 완전 대박
엇.
갑작스럽게 들릴지도 모르지만
바트라의 관리도 학생회의 일이다.
그리고 다른 바트라에서 견문을 넓히는 것도 나쁘진 않겠지.
아, 네….

어라.
그럼 저는…….
덥석
어.
영광으로 알도록.
벌떡
아무리 희망하더라도 이 활동에 참가할 수 있는 자는 한정되어 있다.
뚜벅!
네놈의 근성을 뜯어고쳐 주마.
이루마.

둥!!..

ズイ

학생회에
온 걸
웅성
웅성
환영
한다.

기상──!!
번쩍
이불을 정리해라!
지둥
?!
어엇.
허둥
옷을 갈아 입어라!
어.
남은 시간 130초!!
헉.
맞다!
처억
나는
오늘부터
제47화 혹독한 학생회

두
학생회의
일원이야.
웅
제47화 흑독한 학생회

버럭
누구냐!!
네놈들은
학생회 입니다!!
쩌렁
쩌렁
바비루스
옛설!!
기숙사에 쓰레기가 떨어져 있다! 다시 청소해!!
옛설!!
훽훽
집합이 늦었어!! 팔 굽혀 펴기!!

회의
휙 휙 휙 휙
예산 리스트를 이쪽으로.
휙 휙
선도 바트라의 신청이….
그건 무시해!!
휙 휙
다음 의제의 정리 문서를 가져와!
신입! 복사해와!
네…. 옛설!
허둥지둥
신입, 그건 이쪽이야! 학년별로 나눠!
예!!
아, 그게 아냐.
허둥지둥
옛설!!
허둥대지 마라! 그래선 일이 안 끝난다!
네?!
아침에 이걸 다…….
대답은 옛설!
옛설!

러닝
궤—엥
철컹
철컹
철컹
이건….
꾹
꾹
학생회 멤버라면 비행만이 아니라 뜀박질도 단련해라.
아니…. 뒤에….
철컹철컹
『흡혈 카이만』.
진심으로 뛰어야 단련이 되니 말이다.
따라잡히면 물어뜯겨.
덜커엉

죽기
싫으면
죽을힘을
다해
뛰어라!!
가우
가우
엣서
어엉얼
후-
좋아,
다음.
질
질
질
콰직
콰직

화단
관리
등교
학생
체크
이루마
진짜로
학생회에
들어갔네
교사와의
협의
순찰
…은
아직
일러!!
흔들
흔들
우선
고결한
자세를
익혀라!
학생회는
학생의
본보기!!
후들
후들
꼴사나운
자세로
순찰을
도는 건
허락
못 한다!!

학생식당
웅성 웅성
점심
데구르르…
오늘은 적월(赤月). 악마는 폭식을 피하고
정신 통일을 해서 자기 뱃속의 욕망을 응시해야 한다.
헉 헉
오늘은 이게 다야.
가장 힘들어 하네.
우네요.
훌쩍 우흑

정말 한심하군…
첫날부터 이래서야 앞날이 걱정되는걸.
야
자세
죄송해요…
역시 여러분은 대단하네요. 전혀 지치지 않은 것 같아요…
후—…
잘 들어라, 이루마….
우리들 학생회는 학생의 모범이다.
회장님—!
회♥장
아메리님—!
멋져—
아무리 지쳤어도 꼴사나운 모습을…

보여선
안 된다.
이익

ズ

회장님!
휘익
묶어놔라.
오늘 순찰 때
확인할 예정이었던
『악주기』 학생이다.
옆의 학생을
잡아먹으려
했지.
묶어라
묶어
전혀
눈치
못 챘어.
대단해
…!
이루마.

전혀
대단할 거
없다.
나는
학생회장
이거든.
—정말
멋진
분이야
…….

방과 후
이루마~~. 선물 챙겨왔~
이루마는 현재 수행 중인 몸…. 어리광을 받아주면 안 됩니다.
텨어엉
다.
사진 ….
허락 못 합니다.
밥….
안 됩니다.
하지만 나는 이사장,
이 건은 제가 맡았습니다.

우에에에엥
너무해애애애애
후다다닥
이사장님이 오페라 씨 말고 다른 사람한테 이렇게 밀리는 건 처음 봤어….
자아, 이루마….
벗어라.
?!
?!
아, 아냐!
이상한 의미가 아니다!!
오늘은 그것을 하는 날이니까! 그 교복을 입은 채로는 좀 그러지 않냐…!
만지작

휴게실
그럼, 오늘은 15권부터.
음 음
『드디어 이날이 왔어.』

그리고…
다음 권에서 계속.
오오~
짝 짝
멋지구나!!
역시 『첫사랑 메모리』는 재미있는걸!

얏
오늘
하루 종일
학생회장
으로서의
아메리 씨를
봤더니….
뭐?
왠지
마음이
편해….
여
여기서는
아메리라고
불러라.
지금의 회장님이
반갑게
느껴졌다…고나
할까요.
아니다.
네?
뚜욱
하지만…
역시 「회장」은
무서운 건가….

쨍
그
랑
괜찮으 세요?!
수건!!
그래.
찻잔의 손잡이가 떨어졌을 뿐이다.
정말… 불길한걸.
주륵…

주륵…
주륵
거의 다 됐어.
이제 곧…
아자젤 아메리를……
없앨 수 있다고.

기상——!!
번쩍
이불을 정리해라!
스륵
척
옷을 갈아입어라!
꾸욱
남은 시간 130초!!
처억
정렬!!
제48화 무너지는 여걸

네놈들은 누구냐?!!
바비루스 학생회입니다!!
제48화 무너지는 여걸

휙 휙
자료 2는?!
휙 휙
결산 그래프는?!
휙 휙
정오 홍보는 이 일면에서….
옛설.
옛설.
옛설.
옛설. 복사….
휙
복사
좋아!
그럼, 다음은 여기.
휘
익

펴어엉!
골 인!
오~!
세이프!
회의 자료 입니다!
음
좋은 아침 입니다~

좋아!
130초 유지!
학생식당
욱...
우물
으흑
크흑
등은 꼿꼿하지만 말이지.
역시 이건 힘든가….

공복이 신경 쓰이면 이거라도 해.
달그락…
이거 뭔가요?
마력 회로 퍼즐.
마력을 실처럼 이미지해서 열쇠 구멍에 넣어서 여는
마력 컨트롤을 연습하는 도구야.
그러고 보니 아리 씨도 말했었어….
마력은 이미~지
아리 씨

지이미이…?
우와~ 못하네~.
끄으응
그거, 너 줄 테니까 연습해.
어라 상냥한 선배~.
옛설!
움찔
어이, 키슈. 선배라 부르지 말라고 몇 번을 말해야 알아먹을 거냐…….
같은 학년이잖아.
어~?
먼저 학생회에 들어왔으니까 조니 씨가 「선배」 맞잖아요~.
하지마
내가 유급한 것 같잖아~!
하하하하하
말투가 거칠구만~.
저기.

여러분이 학생회에 들어온 이유는….
비밀.
척
비, 밀…
아니 당연하잖아.
응 이야기가 엄청 길거든.
그래도 이유를 하나만 대자면
역시 「회장님」 이려나.
음 음
「꿈을 위해, 돈을 위해, 권력을 위해」. 결국 「욕망」에 대한 이야기가 돼.
자기 「본질」 같은 건 웬만큼 자신 있지 않아서야 얘기하지 못하거든.

바비루스의 상징. 그 책임과 업무는 상상을 초월하겠지만
전혀 빈틈을 보이지 않는 여걸.
매력적인 인물을 곁에서 보고 느끼는 것도 그 자체로 충분한 재산이지.
그래서 회장님이 너를 스카우트 했을 때는 「부러우니 죽어버려」 하고 생각했어.
부
부러우니 죽어 버려?!
지금 상황을 특별하게 여기라는 거야.
맞아 —.
옛설.

후후후
익숙해졌나 보네요.
그는 근성 있어요. 좀 뻔뻔하달까….
…그래.
옛날 생각 나네요.
회장님은 항상
이상한 녀석들을 데려온다니까요.
재미있는 녀석이다!
재미 있는?
재미 있는!

딩동 댕동-
방송 바트라 입니다.
학생회장님, 지금 바로 제1준비실로 와주십시오.
다녀오지.
따라 갈까요?
괜찮다.
업무는 맡겨 두지.
예스, 보스!

그는 근성 있어요.
이루마…. 잘해주고 있어. 업무도 성실하게 임하고 있잖아….
장래성도 있고, 다른 단원과도 잘 지내지.
확 이대로….
학생회에 들이는 것도….
척
타타
탓
방과 후에… 본인에게 제안 해보자….

제1준비실
덜컹…
누구….
실례하지.
……
덜컹
으윽….
꿈틀…
!
무슨 일이지?!
무슨 일 있던 거냐?!
휘익

씨익…
푸쉬익!!
무슨….
어질

회장님, 늦으시네.
…….
방송 바트라는 아까까지 밖에서 자료를 모으느라
회장님이라면 준비실에 ….
저기, 회장님 계신가요 …?!
방송 바트라 입니다!
터어엉
한번 살펴보고 ….
!!
벌떡
아무도 회장님을 호출하지 않았어요!!

회장님을 혼자 보내다니….
후다다닥
이런!
좀 더 신중했어야 했어.
아메리 씨…!!
!!
터어엉
회장님!!

회장님!!
괜찮으
십니까?!
의무실
…!
움찔
으응
….
괘,
괜찮
….
스륵…
!
다치신
곳은…?!
없답니다.
휴우-…
그거
다행….
「답니다」?

저기… 그리고, 걸칠 옷가지를….

이 옷…
노출이
심해서…
부,
부끄러
워요….
화아아아악…

뮈,
뮈어어어어어어어?
?
?

악마 학교
『바비루스』.
총 6학년,
재학생 666명.
제49화 가련한 악마
수많은 악마가 공존하는 교내에서
뚜벅
그 질서를 유지하고 감독하는 집단이 바로
고결하고 냉혈한
우와아 야
엘리트 악마.

바낚
바낚
학생회 ….
안녕 하세요.
제49화 가련한 악마

술렁
들었어?! 회장님 이야기!
완전 딴사람이 됐대.
술렁
귀여워.
대체 무슨 일이….
웅성 웅성
훗
아메리
움찔
왜 그래?
야
아….
술렁 술렁
주목 받는 것 같아서요.
어쩔 수 없을 거야.
그래도 일상생활을 체험하다 보면 성격이 돌아올 거라는 게 선생님의 견해잖아.
네….

의무실
이름은?
아자젤 아메리 에요.
학년은?
2학년….
본인이 학생회장 인 건 기억하니?
네.
예전의 저는, 저기… 뭐랄까… 좀 난폭… 했어요.
화끈

— 기억은 또렷해.
정신면에 영향을 끼치는 마술에 걸린 게 아마 틀림없을 거야.
정체불명의 연기를 마셨다고 하는 걸 보면
가련 모드가 되는 마술에 걸렸다는 게 현재 판단이야.
푸는 게 어렵나요?
마술이 엄청 복잡하게 얽혀 있어. 초보자가 짠 스웨터 같아. 억지로 푸는 건 무리지만
마술 자체는 간단하니까 시간이 지나면 원래대로 돌아올 거야.

아무튼 경과를 살펴보자.
네….
그리하여
너희도! 정신 똑바로 차려!
추~욱
가련 모드인 채로 아메리 회장은 일상으로 돌아왔다 ――….
하지만
처억!
호령――….
저기

방그~~웃
과자를 가져 왔거든요.
다 같이 맛보지 않겠어요?
어….
티타임을 가지도록 해요.
네….
부들
일어서고 싶어…!
찻잔이 깨지겠어….
그래도 행복해.
티~타임

아침 회의
회장님! 선도 바트라에서 신청이….
네.
꾸~욱
스윽
으응
죽도록 느려…. 그래도 귀여워.
꾸~욱
이러면 시간 안에 못 끝내. 그래도 귀여워.
끄으
그래도 귀여워….

러닝
척
척
기분 좋네요.
그러게요 ~~~.
가우
가우

저기….
괜찮… 으세요?
네?
저… 방해만 되지 않나요?
아니….
저는…
평소처럼… 행동한다고 생각 하는데요….

처억!
움찔
아무 문제 없습니다.
회장님.
평소대로 입니다.
슥
그런… 가요.
휴…

푸 하아~!!
하아
입 밖에 내지 마….
하아
하아
수고~
힘들어….
요…
평소 회장님이 하시던 일을 처리하고 있으니 말이지….
하아-!!…
다섯이서 나눴는데 이렇게 많다니….
역시 회장님은 대단하네요…!
그래-
너무 믿음직했던 거야.

지금이야말로 우리가 버팀목이 되어 드려야 해….
…힘내자.
우리는 학생회.
학생회는 바비루스의 규범.
바비루스의 상징인 학생회장이 저래선
본보기가 되지 못해.

현 학생회의 활동 정지도
고려 하도록.
저벅 저벅
저벅
저벅…
한시라도 빨리 범인을 찾자.
그래…. 그치만 학생회 업무 때문에 거기까지 손을 쓸 수가 없어.
단서도 적잖아….

의심되는 자가….
너무 많거든.
그래서 추리기가 어려워.
뭐… 가장 의심스러운 건….
어?!
학생회실의 문이….
게다가 이 냄새는….
킁킁…
설마…!!!
텅!

아아아앗……!

파
여어, 학생회 서민!

절
씨
늦었군!
짜잔
빠바바-암
바로 나야!!!

아~
누구 시죠
? ?
아까 말한 가장 의심스러운 녀석….
헤이, 헤이! 내 이야기는 더 큰 목소리로!!
로노웨 로미엘!
나도 소리 내서 부르고 싶어지는 파뷸러스한 이름이야!!
대—앵
학생회에게 무시당해온 수많은 나날!
이 로노웨!
지금이야말로 소리 높여 선언하겠어!

우리들 바비루스 선도 바트라!!
학생회를 탈취하러 왔습니다!!
잘 부탁해 로노웨!!

제50화 카리스마의 로노웨
자아, 서민….
로노웨!!
나!!
이 선도위원장 로노웨 로미엘이
처억!
학생회를 빼앗아서 새로운 학생회장이 되겠어!!

초면인 사람도 있네.
아무래도 내 고귀한 모습에
눈길을 빼앗겼나 봐.
이번 화는 내 활약을 마음껏
즐길 수 있는 해피니스한 챕터지.
그래. 내 이름은 로노웨 로미엘이야.

제50화 카리스마의 로노웨

자칭 학생회의 라이벌… 이려나?
선도 바트라 라면….
불러와서 합류
쉿 쉿
화—려
짜
야!
하하하 고마워
학생회와 비슷한 활동을 하며 매번 귀찮게 구는
주목 받고 싶어 환장한 집단이지.
즉……
꽃이에요 로미님
덥석
회장님이 실각하면
득을 보는 녀석이야.

네놈이
회장님을
습격한
범인이냐.
그긍그
그것보다!
손 치워.
야야야, 야만스러운
규규규, 균이….
아앙?
부들
부들
……무슨
소리인지
모르겠네.
하아-
하아-
남자가 5초나
나를 만졌어….
한계로노웨….
로미님!
저런 자기만의
룰이 많아서
밖에는
거의 안 나와….
후
드득
훗.
하지만 로노웨는
이 기회를
놓치지 않겠어!

회장이 약해진 지금! 우리는 학생회에
해산 선거를 신청하겠어!
해산 선거.
그것은 학생회에 대한 바트라의 선전포고!
DEVIL School

다수의 학생이 현 학생회에 불만을 품을 경우
대표인 바트라를 골라 현 학생회와 1대1로 전교 투표를 한다.
패배한 바트라는 즉시 해산!!
투표함
흐흐흐흥
서명도 이렇게 받아왔어~.
역시 로노웨! 인기 만점!
우와~
죄다 우리가 단속한 바트라네…!
거절하는 건….
무리야.
규칙이라서

저벅
이제까지 선거를 신청하지 않은 건 바로! 미스 아자젤의 위광이 절대적이라서야!
그런 그녀가 이렇게 가련한 모습이 되다니….
스륵…
지금의 너라면 로노웨의 비서로서 새 학생회에 받아줄 수도 있거든?
훅…
이 자식!

찰
싹
…너는 누구지?
으음?
죄, 죄송해요!
그런데…
휙
!

함부로 여성의 머리카락을 만지는 건…
실례 아닐까요 ….
후우…
실례….
추—욱…
네!
감히 로미 님께 설교를 해?! 불쌍하지도 않은 거야?!
훗.
좋아. 그 적의.
똑똑히 기억하겠어!
후후후후

하~하하핫
목을 씻고 기다려! 이 로노웨가! 너희를 반드시 은퇴시킬 거야!
덜컹 덜컹 덜컹
꽃 정리하고 가!!
그럼이만 로노웨~
하아….
적
혹시 제가…
괜한 짓을….
찰싹 철썩
아얏.
말 잘했어.
새치기 당했네~.

하지만
로노웨 자식이
저러는
꼴을 보면,
곧 일을
벌이겠지.
으~음
우리도
준비를
시작해야겠어.
대체
무슨
일을….
다음날
슬렁
슬렁
여어!
일반
학생
서민!!!

카리스마
『주목』.
『나야』.
그것이
로노웨
로미엘의
가계
마술이다.
키이이잉
휙휙
언제 어떤
상황에서도,
순식간에
눈길을
빼앗긴다.

로노웨가 학생회장이 되면
수업 일수를 절반으로 줄이고, 남은 날에 여행을 갈 거야!!
교내에 레저 시설도 설치하고, 휴일도 늘릴게!
오오오오
술이 나오는 분수를 설치하고, 고기가 맺히는 나무도 심어서
마음껏 놀아대는 거지!!
우오오오오오
저기, 로노웨.
응로노웨.
정말 그런 게 가능….
약속은 못 해!!
뭐?!

하지만 최선을 다하겠어! 운 좋게 하나 정도는 실현될 가능성에 걸지!
후후후
즉!
현 학생회보다 재미있는 나날을 약속하지.
바보야.
우와… 우와…
진짜 뻔뻔하네.
하지만
좀 재미 있겠어….
그럼 로노웨에게 찬사를 보내는 노래를 부르겠어
분위기 뜨겁네요….
주목 받는 것에 목숨 거는 놈이거든 ~~….
아자젤 아메리
학생회
이쪽도 어필을 하고 있지만….

아메
저기, 저….
얏
생회
허둥 지둥
이 학교를 위해
위해 예산의 재책정과….
앗.
펄럭
펄럭
파, 파이팅~
파이팅~
성원이라기 보단…
동정인가….
열세… 인걸.

악마는 재미있는 것에 끌려…. 흥미를 끄는 쪽이 압도적으로 유리해.
THE 유쾌
게다가….
역시~.
지금의 회장은 믿음직하지 못하네.
귀엽긴 하지만
회장으로서는 좀….
…죄송해요.
괘
괜찮아요!
응원해주는 학생도 있잖아요!
지금은 할 수 있는 일을 하죠!
네?
…네.

새로운 대본을…
음료수 가져 올게요
좋아!
나도… 할 수 있는 일을….
── 라고
단장이 말하는데, 어떻게 생각해?
…그게
나와 무슨 상관이 있어?
냉정
휘익
아니….
어라~.
처형옥포로 좀 친해진 줄 알았는데….
응~?
삐리리리

방긋!!
네, 이루마 님!!
이루마… 대단해~.
네! 네!
둥
게임바트라
철컹
갸오~.
붕부 쿄붕!!
저기 클라라….
어이.
휴~
하하

거기에는 코드가….
끊어졌어.
저절로
?
끄아아 아아, 데이터가!!!
이런 애랑 매일 놀아주다니, 아즈아즈와 이루마는 대단하네….
챵
챠챠 카카
챠카
야! 이루마 찌다!!
응…. 고마워!
휴—…
일단 두 사람에게 다시 협력을 부탁해뒀는데
카르에고 선생님…을 부르면 화내시려나….
저기.

이루마…
씨.
꼬옥
하
할
얘기가….

휴게실
멀뚜——…웅
제51화 흘러넘치는 마음
으~음
여기서 기다려달라고 했는데…
회장님은 어디 가신 거지….
에이, 뻔하잖아.
스륵…
개는 여자애라고.

스륵…
여러모로 준비가 필요할 거야.
아리 씨! 다행이야! 저기, 물어볼 게….
아——. 네, 네~. 함부로 말 걸지 말아줄래요~?
겨우 밖에 나올 수 있게 된 이 몸을 내버려두고~~.
회장 양과 꽁냥꽁냥 러브러브 해대다니, 이놈.
쑤-욱
그게 아니라….
미안해. 하지만 일이 너무 바빠서….
뭐? 나도? 「일과 나, 둘 중에 뭐가 더 소중해?!」 같은 못난 소리를 할 생각은 없지만~.
후—
성의라는 건 중요하지 않아~?

신경 써드리지 못해 죄송합니다.
사과
음.
회장님이 걸린 마술에 대한 아리 님의 의견을 들려주세요.
음.
부탁 드립니다.
정말~
훗훗훗훗
역시 이루 도령은 아리 씨가 없으면 안 되나 보네~.
보아하니 회장 양이 걸린 마술은 거의 풀렸어.
어?!
정말?!
하지만 문제가 하나 있지.

마술은 걸린 사람에 따라 받는 영향이 다르거든.
불꽃이 특기인 악마에게는 얼음 마술이 잘 통하고
음침한 자에게는 마음을 가라앉히는 저주가 안 통해.
아마 회장 양 안의 무언가에 개변 마술이 걸려 있어서 원래대로 돌아오지 않는 거야.
계기만 있으면 완전히 원래대로 돌아오겠지만….
무언가….
똑 똑
철컹
!
슈욱
어.

스윽
회…
아메리 씨.
원래
대로….
이루마…

씨….
너너너,
너무
뚫어지게
쳐다보지
마세요.
화끈
이 옷,
역시,
부, 부끄
러워…!!
화끈
어라?!
뭐, 뭐가
어떻게
된 거예요?!
그게,
이 옷을
입으면
성격이
원래대로
돌아올까
싶어서….
!

이대로 가면… 선거에서 분명 지고 말 거예요.
제가 여러분에게 폐를 끼치게 돼요.
제가 할 수 있는 일이 없나 찾다가… 겉모습부터 원래대로 되돌려보자고 생각했지만….
폐라뇨.
회장님은 최선을 다하고 있어요! 학생회 일도 열심히 해내고….
해내고 있지 않아요!!
저도 알아요. 제 몫까지 다른 분이 일해주고 있다는 걸….

이런 이야기를 할 수 있는 사람은… 이루마 씨 뿐이에요.
저…
학생회 여러분을 좋아해요.
고결하고 진지하며, 항상 저에게 마음을 써주시죠.

기뻤어요.
그 고귀한 충성심, 말투, 행동, 전부 따뜻했어요.
하지만 그것은 예전의 저를 향한 마음——.
꾸욱
여러분이 경애해 마지않는 건 예전의 저….
그렇지….
그래서 저는
무서워요….

학교가 더 좋아지기를 바라고 있어요.
하지만 지금의 제가 그걸 해낼 자신이 없어서 무서워요.
실패하는 게 무서워요!
저 때문에 다른 분들이 험담을 들을까 봐 무서워요!
여러분의
기대를 저버리는 게… 무서워요.
그럼 차라리 도망가서
회장 따위 관두고 평범한 여학생이 되어서
수업을 듣고, 이루마 씨와 함께 책을 보며 차를 마시는 그런 평온한 나날을….

이루마 씨가,
당신이 지금의 저를 받아들여 준다면
저는 쭉 당신과 함께….

그건
이상이지
회장님이 저에게 그렇게 말해 줬잖아요.

야망이
아니다.
당신은 항상
야망을 향해
곧장 나아가는
사람이었어요.
자신감을
가지고,
자신의
야망을 위해
그 어떤
곤란도
타파했죠.
다들 그런
당신의 자세를
동경했다고
생각해요.

당신은 자신이 진정으로 하고 싶은 일을 해야 해요.
그것이 학생회를 관두고도 할 수 있는 거라면, 관둬도 된다고 생각해요.
다들 그랬거든요.
자기들은 회장이 아니라
아메리 씨를 따르는 거라고요.
……윽.

하지만
지금의 저는 심약한데….
괜찮아요.
둔해 빠졌고, 지시도 제대로 못 내려요.
도와 드릴게요.
하지만.
스윽…
괜찮아요.
고개를 들어주세요.

그 어떤 모습과 성격이 되더라도, 꿈을 좇는 당신은
참 멋진 여성이에요.
펴어 엉
우왓.

이루마
씨.
훗…
괘
괘…
괜찮아요.
쉬이익
헉
죄송해요!
얼굴을….
두근
두근
물론
이죠!
저,
최선을
다해
볼게요….
응원해
주실래요?
그리고

결전의
날이
밝았다.
해산 선거

음.
오옹!
너, 여기서 뭐 하는 거냐….
응
탐색!
바트라 일을 하면서 이루마찌가 부탁한 범인 수색을 하고 있어!
처억!
쿡
이 녀석과 행동 패턴이 겹치다니…!

바트라에서 빌린 게임을 연체하고 있는 애가 있어서 돌려받으러 가는 길이야~.
뭐
바트라의 일 내용까지 겹쳤어?!
아즈 아즈도 그래?!
어디 쓰려고 빌려 간 건지는 모르겠지만, 대여한 연구 데이터를 회수하러 왔지.
나도 그래! 이상한 게임이야!
성격별 연애 게임 야마토 나데시코 편.
물질 개변 마술 연구 데이터집.
같은 걸….
…어?

제52화 학생회장이 보는 광경

그녀의 기억의 끈은 어딘가에 걸려 있지.
계기가 없으면 풀리지 않아.
텐더덩 텅 텅 텅
알레프.
베트.
기멜.
텅 텅
다레스, 헤, 바우.
자인.
케트, 테트, 요드!!!
텅 텅 텅

오오오오오오
로노웨 로미엘
우리의 주인을 정하는!!
제52화 학생회장이 보는 광경

해산 선거 개최!!
아자젤 아메
오오오
양측의 어필이 끝난 후, 투표를 하겠습니다!
제한 시간은 3분, 선공은…
오오오
로노웨 로미엘!!

내가 너희에게 제안하는 것은 바로
즐거움이야.
학교를 낙원으로 만들자!
학생의 본분은 공부를 즐기는 것이지!
로노웨의 목표는 유원지!!
꿈 같은 소리다, 이상에 불과하다, 이런 소리를 들어도 나는 기죽지 않아!
아하하하
내 생애에 기죽은 적은 없어.

『재미없는』 것이야말로 그 무엇보다 무가치해!!
고통을 자랑스러워 하지 마! 즐거움을 숭배해!
자아, 나와 함께! 이상적인 낙원을 꿈꾸며 놀아 보자고!!

Say my name?!
로노웨 로미엘
예에에에엣
로노웨ㅡㅡ!!!
로노웨!
엄청난 성원…!
로노웨!
로노웨!
회장님의 인격을 뜯어고친 후, 자기 능력을 최대한 활용해 인기를 얻는다.
로노웨!
로노웨!
로노웨의 손바닥 위에서 놀아나고 있는 건가…….
로노웨!
증거만 있으면….
로노웨!
로노웨!
로노웨!
지금은 그저 믿는 수밖에 없어.
회장님이… 로노웨를 이기기를….
로노웨!
로노웨!

크로노웨!
크로노웨!
크로노웨!
크로노웨!
크로노웨!
후공, 아자젤 아메리.
크로노웨!
크로노웨!
아, 네.
크로노웨!
저, 저는 ….
크로노웨!
크로노웨!
여러분을….
크로노웨!
크로노웨!
위해…. 앗.
크로노웨!
역시… 내 목소리로는….
크로노웨!

닿지 않….
고개를
들어 주세요.

아아.
이 광경은
알고 있어.
꾸욱
크로노웨!
…저는
크로노웨!
크로노웨!
약해요.
크로노웨!

로노웨!
주변의 도움 없이는 아무것도 못 해요.
로노웨!
로노웨!
한심하고, 못나서…… 도망치려고 했어요.
로노웨!
하지만 그런 저를 믿어주는 분이 있었어요.
로
그분이 믿어준 것은 저의
욕망.
오싹

파
약
아자젤 아메리
뭐가 하고 싶은지.
이 자리에 서서 여러분의 얼굴을 보고… 떠올렸어요.
꾸
약한 제가 왜 회장이라는 자리에 집착해온 건지를.
주위의 기대… 그 이상으로!
우우욱
그것은
그 무엇 보다도
이곳을 최고의 학교로 만들고 싶으니까.

당신들은 학생이기 이전에 악마예요!
악마의 본질은 욕망!!
주어진 『즐거움』에 만족하지 말고! 자기 욕망에 긍지를 가지세요!!
당신의 욕망은 뭐죠?! 그걸 지금 쥘 수 있나요?
꾹

그리고, 만약 당신들이 자신들의 욕망을 거머쥐고 싶어 한다면…
닿지 않는다면! 손을 뻗는 방법을 배우세요!
바비루스는 야심을 지닌 악마를 기르는 장소여야 마땅하니까요!
슈르르…
찌릿
찌릿

잠자코
내 야망을

따라 오기나 해.

아자젤 아메리

오오오
하아…
오오오
원래대로…
돌아온…
건가?
하아…
하아…
――….
머릿속의…
안개가
걷힌 것만
같아.
다들
울고
있어….
오
오
오
회장님―!
흔치 않은
광경인걸….
우와아아

로노웨는… 충격을 받고 쓰러졌나….
로로로…
로미님-!!
로미님-!!
미안하게 됐군.
의식을… 잃을 것만 같아.
하지만 소중한 학생들에게 말해야만 해.
폐를 끼쳤다고, 이제 괜찮다고… 지금 바로….
와아아아

아아, 기다려.
이렇게 중요한 순간에…
이런 식으로…
깨닫게 되는 건가.
고맙다도, 미안하다도
만지는 것도, 웃어주는 것도, 전부…
네가 가장
먼저였으면 좋겠단 생각이 들다니….

──…
이루마.
나는 너를
좋아하는 것 같다.
『악마에 입문했습니다! 이루마 군』 제⑥권/끝

46화의 보너스

추~~욱
이루마가 학생회에서 돌아오질 않아~.
훌쩍
훌쩍
달그락…
이럴 때는 차라도 마시며 마음을 진정시키죠.
흑
오… 오페라….
휴우~!…
…좋아.
진정됐어
어라?!
그거, 네 몫이었어?!

각화의 보너스

47화의 보너스①

신입. 일에는 익숙해 졌나?
네…. 옛설!
과도한 업무를 혼자 짊어지지 마라.
일이 어렵거나 모르겠으면 질문해.
옛설!
역시 선배들은 믿음직하네!
그럼
우리는 데이트를 다녀오지.
오늘 데이트는 마음 단단히 먹고 임하자
옛설!
?! ?!
나중에 설명을 들을 때까지 오해는 계속됐다.

※학생회에서는 중요한 순찰을 데이트라 부릅니다. (제12화 참조)

47화의 보너스②

여러분 안녕하세요.
에이코는 지금 가슴이 뛰고 있어요.
이루마 씨가 학생회에 들어갔다는 이야기를 듣고!
슬금…
이 기회에 회장님과 이루마 씨, 두 사람에게 한꺼번에 감사 인사! 를 드리려고요….
자아, 방문…!!
덥석
네. 데이트 중에 수상한 여학생을 발견했습니다.
아냐 아냐
에이코, 학생회 바트라의 블랙리스트 등재.

48화의 보너스

요즘 들어….
딸이 학교를 갈 때 즐거워한다.
중계
학생회에 이루마가 들어왔다고 들었는데, 그게 원인일까…. 일단 가족회의를——.
아니…. 아버지의 위엄을 유지하기 위해, 그냥 두고 보기로 할까….
그날 밤
다녀왔습니다.
어쩌다 이렇게 된 거냐??!!
가족 회의

51화의 보너스①

성격이 변했지만 회장직을 계속 맡기로 결의한 것 같다.
저, 최선을 다해 해산 선거에 임하겠어요!
연약해….
무방비….
정말 괜찮겠니?
이, 이루마한테 무슨 짓을 당한 건 아니지?
파
악
찢어 죽여주마.
쨍강
자기도 모르는 데서 평판이 나빠진 이루마.
시, 신세 지고 있어요.

51화의 보너스②

아즈 in 마술 개발 바트라
아스모데우스, 이야기 좀 해~
…됐습니다.
아스모데우스는 기본적으로 이루마 말고는 전부 매몰차게 대해요.
흠
이루마…. 좋아.
어이, 아즈~.
이루마 님에 대해 이야기하자~.
이루마 님이 이루마 님이며 그야말로 이루마 님 이루마 님은 역시 이루마 님 다운 그야말로 이루마 님
다, 단장이 재가 됐어!!
나도 조심해야지.
큰일 날 뻔했네

51화의 보너스③

클라라 in 게임 바트라
둥실둥실군, 이거 뭐야~?
아 이거!
부들 부들
철푸덕 달걀.
서로한테 패스하면서 달걀을 깨뜨린 쪽의 패배….
철푸덕
에잇
사람 말 좀 들어!!
그 끈은 당기면 안 돼!
어이
어, 뭐 먹는 거야?!
엄마
위험
레버 만지지 마.
퉤 해! 퉤!
쿠울~
……엄마 심정이 이런 걸까.
뿅 뿅
육아에는 근성이 필요하구나.

읽어주셔서 정말 감사합니다.

THANK YOU FOR READING

로노웨에 대한 감상도 기다릴게 로노웨!!

〒102-8107　東京都千代田区飯田橋2-10-8

秋田書店 週刊少年チャンピオン編集部気付 西修先生宛

후기

6권입니다!

이번 권은 아메리 편이 됐습니다!

여자 캐릭터가 적은 이 작품에서,
여걸이자 소녀이자 화려함을
맡아주고 있는 아메리!
쿨하면서 능력 있는 여자! 입니다만,
실은 누구보다 「여자」애답다고
생각합니다. 망상력도 가장 뛰어나고요.
그녀가 자기 마음을 눈치채는 과정에서
우여곡절이 있습니다만,
평소 걸치고 있는 그녀의 갑옷이
벗겨져서 한 명의 여자애가 된 끝에야
비로소 그 마음을 깨닫는 점이
참 아메리답다고 생각합니다.
자신의 마음을 눈치챈 아메리의
이야기는 이제부터 시작입니다!
새로운 아메리가 다음 권에서
어떻게 휘둘릴까요?!
기대해주시길!

믿음직한 동료들

스태프 THANKS

· 카와사키 츄 씨

· 사와 마코토 씨

· 나카자토 하루나 씨

· 니시자와 씨

· 노나카 카즈키 씨

· 오사이 씨

감사, 또 감사

팔씨름 스타일의 악수로

기합을 팍팍 넣어주는 사람

· 담당자 니시야마 씨

악마에 입문했습니다! 이루마 군 VOL. 6

2023년 10월 25일 제1판 제1쇄 인쇄
2023년 10월 30일 제1판 제1쇄 발행

작가 | OSAMU NISHI
번역 | 이승원

발행인 | 오태엽
편집팀장 | 이수춘
편집담당 | 이혜리
표지 디자인 | Design Plus
라이츠사업팀 | 이은선, 조은지, 정선주, 신주은
출판영업팀 | 김정훈, 이강희
제작담당 | 박석주

발행처 | (주)서울미디어코믹스
등록일 | 2018년 3월 12일
등록번호 | 제 2018-000021
주소 | 서울특별시 용산구 한강대로 43길 5

인쇄처 | 코리아 피앤피